Gwen

Llinos

Dafydd

Elen

Huw

Owain

Guto

Manon

Ifan

Nia

Mair

Gethin

Bethan

Gwen

Dafydd

Elen

Llinos

Huw

Owain

Manon

Ifan

Guto

Nia

Mair

Gethin

Bethan

Cyhoeddwyd gyntaf yn Saesneg gan Frances Lincoln Cyf
dan y teitl *My First Playgroup.*
Cyhoeddwyd yn Gymraeg gan Wasg y Dref Wen,
28 Ffordd yr Eglwys, Yr Eglwys Newydd, Caerdydd.
Argraffwyd yn Hong Kong.

Mynd i'r Cylch Meithrin

Edwina Riddell

DREF WEN

Croeso i'r cylch meithrin!

bws

bachau

baban

esgidiau

drws

mat

Hwyl fawr, Mam!

lluniau

cot

arweinydd

tedi

Rwy'n mynd i mewn.

chwarae

torrell

rholbren

toes

bwrdd

jig-so

ceir

blwch
siapiau

blociau

Mae llawer o gemau i'w chwarae.

peintio

brws
paent

potiau
paent

ffedog

paent

blwch

siswrn

glud

Dyma ni'n peintio lluniau.

y tŷ bach twt

sosban

powlen

jwg

sinc

ffwrn

plât

teisen

sugnydd llwch

Mae Manon yn chwarae coginio.

cwt

cwningen

coets

coets gadair

dol

Mae Guto a Mair yn mynd â'r doliau am dro.

tu allan

ffrâm ddringo

rhaw

llithren

tryc

pwll tywod

castell tywod

bwced

Rwy'n suo i lawr y llithren . . .

pêl

si-so

beic

car

pêl
sboncio

. . . ac mae Llinos yn gyrru car.

y tai bach

toiled

papur
tŷ bach

Rwy'n cau fy motymau (gyda help) . . .

drych

sebon

tyweli papur

tapiau

basn ymolchi

pibellau

bin sbwriel

pot

Rydyn ni'n golchi'n dwylo ar ôl mynd i'r tŷ bach.

amser diod

cwpan

bwrdd

sudd
oren

jwg

Dyma ni'n eistedd i gael diod.

afal

plât

bisgïen

cadair

Fi sy'n rhoi'r bisgedi allan.

amser stori

silffoedd llyfrau

clustog

llyfr

blanced

. . . ac yna'n gwrando ar stori.

amser mynd adre

siaced

bag cefn

cot

cap

poced

botwm

Mae pawb yn gwisgo cot i fynd adre.

Gwen

Llinos

Dafydd

Huw

Elen

Owain

Manon

Ifan

Guto

Nia

Mair

Gethin

Bethan

Gwen

Dafydd

Elen

Llinos

Huw

Owain

Manon

Ifan

Guto

Nia

Mair

Gethin

Bethan

Rhestr Geiriau *List of Words*

adre *home*
afal *apple*
allan *out*
amser *time*
ar ôl *after*
arweinydd *leader*

baban *baby*
bachau *pegs*
bag cefn *backpack*
basn ymolchi *washbasin*
beic *bike*
bin sbwriel *waste bin*
bisgïen (bisgedi) *biscuit(s)*
blanced *blanket*
blociau *bricks*
blwch *box*
blwch siapiau *shape sorter*
botwm (botymau) *button(s)*
brws paent *paint brush*
bwced *bucket*
bwrdd *table*
bws *bus*

cadair *chair*
cadw stŵr *to make a noise*
cael *to have*
cap *cap*
car (ceir) *car(s)*
castell tywod *sand castle*
cau *to do up (buttons), to close*
clustog *cushion*
coets *pram*
coets gadair *buggy*
coginio *to cook, cooking*
cot *coat*
croeso *welcome*
cwningen *rabbit*
cwpan *cup*
cwt *hutch*
cylch meithrin *playgroup*

chwarae *to play, playing*
chwiban *whistle*

diod *a drink*

dol (doliau) *doll(s)*
drwm *drum*
drws *door*
drych *mirror*
dwylo *hands*

eistedd *to sit*
esgidiau *shoes*

fory *tomorrow*

ffedog *overall*
ffrâm ddringo *climbing frame*
ffwrn *oven*

gemau *games*
gitâr *guitar*
glud *glue*
golchi *to wash*
gwisgo *to put on*
gwneud *to make*
gwrando ar *to listen to*
gyrru *to drive*

hipo *hippo*
hwyl; hwyl fawr *good-bye*

i lawr *down*

jig-so *jigsaw*
jwg *jug*

llawer *a lot*
llithren *a slide*
lluniau *pictures*
llyfr *book*

mat *mat*
mewn; i mewn *in*
miwsig *music*
mynd *to go, going*
mynd â *to take*

paent *paint*
papur *paper*
papur tŷ bach *toilet paper*

pawb *everyone*
peintio *to paint, painting*
pêl *ball*
pêl sboncio *bouncing ball*
pibellau *pipes*
plât *plate*
poced *pocket*
pot *potty*
potiau paent *paint pots*
powlen *bowl*
pwll tywod *sandpit*

rhaw *spade*
rhoi *to give*
rholbren *rolling pin*

sebon *soap*
siaced *jacket*
silffoedd llyfrau *book shelves*
sinc *sink*
si-so *see-saw*
siswrn *scissors*
sosban *saucepan*
soser *saucer*
stori *story*
sudd oren *orange juice*
sugnydd llwch *vacuum cleaner*
suo *to whizz*
symbalau *cymbals*

tai bach *toilets*
tambwrîn *tambourine*
tan *until*
tapiau *taps*
tedi *teddy*
teisen *cake*
toes *dough*
toiled *toilet*
torrell *cutter*
tro *a walk*
tryc *truck*
tu allan *outside*
tyweli papur *paper towels*
tŷ bach *lavatory*
tŷ bach twt *home corner*